La grande course des géocoucous

adapté par Sarah Wilson
d'après une histoire de Leyani Diaz
illustré par Alex Maher

Presses Aventure, une division de
LES PUBLICATIONS MODUS VIVENDI INC.
55, rue Jean-Talon Ouest, 2e étage
Montréal (Québec) H2R 2W8

Publié pour la première fois par Simon Spotlight/Nickelodeon sous le titre *The Great Roadrunner race*

Traduit de l'anglais par Andrée Dufault-Jerbi

Dépôt légal : Bibliothèque et Archives nationales du Québec, 2010
Dépôt légal : Bibliothèque et Archives Canada, 2010

ISBN 978-2-89660-095-3

Nous reconnaissons l'aide financière du gouvernement du Canada par l'entremise du Programme d'aide au développement de l'industrie de l'édition (PADIÉ) pour nos activités d'édition.

Gouvernement du Québec — Programme de crédit d'impôt pour l'édition de livres — Gestion SODEC

Imprimé en Chine

Hello! Je suis ! Voici mon

DIEGO

ami . Il participe à une

ROADY

grande aujourd'hui.

COURSE

C'est la des .

COURSE   GÉOCOUCOUS

Les 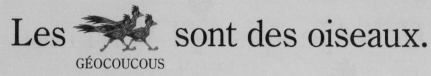 sont des oiseaux.
Ils ne volent pas, mais ils
sont d'excellents coureurs.

Pendant la ,  devra

COURSE · ROADY

courir et se baisser.

Il devra aussi sauter et

secouer ses plumes. Nous

allons l'aider à s'entraîner !

Bip! Bip! C'est ma sœur .

ALICIA

Elle dit que nous devons

nous hâter!

La  va bientôt commencer.

COURSE

Allons nous entraîner !

Je vais boire de l' .
EAU

 va manger une
ROADY   POIRE

et en puiser le .
JUS

et moi courons vers

le sommet de la .

Puis, nous redescendons de l'autre côté. Sois prudent,  !

ROADY

Méfie-toi du ! CACTUS

Nous nous entraînons
ensuite à nous baisser.
Baisse-toi vite, !
ROADY
Faufile-toi sous ce 🌵!
CACTUS

Montre à  comment faire.
ROADY

Baisse-toi aussi!

Maintenant, entraînons-nous

à sauter. Saute, !

ROADY

Saute par-dessus la botte de !

FOIN

Montre à  comment sauter.

Mets-toi à sauter aussi !

Saute aussi haut que tu peux !

Oh, non !

Une tempête de  !

SABLE

Qu'est-ce qui pourrait nous protéger d'une tempête de ?

SABLE

Demandons l'aide de !

SAC DE SECOURS

Oui! Une 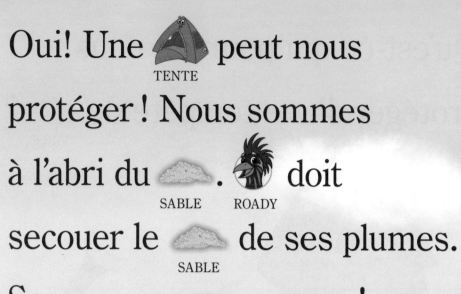 peut nous
protéger ! Nous sommes
à l'abri du ☁. 🐦 doit

SABLE ROADY

secouer le ☁ de ses plumes.

SABLE

Secoue, secoue, secoue!

Veux-tu montrer à  ROADY comment secouer ses plumes ? Allez, secoue-toi ! Secoue, secoue, secoue !

Nous avons réussi !

Nous nous sommes bien

secoués et nous sommes arrivés

à la ligne de départ de la .

COURSE

Les coureurs doivent compléter **3** étapes :

TROIS

se baisser sous le 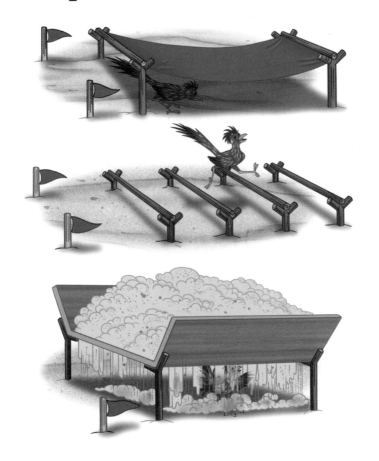,

PARACHUTE

sauter par-dessus les

HAIES

et secouer le de

SABLE

leurs plumes.

À vos marques ! Prêts ?

Partez ! Cours, , cours !

ROADY

Voilà le  !
PARACHUTE

Baisse-toi vite,  !
ROADY

ROADY se baisse !

Voilà les !
HAIES

Saute,  !
ROADY

ROADY saute !

Et ensuite, voici le  !

SABLE

Secoue, , secoue !

ROADY

 secoue ses plumes !

ROADY

La est terminée !
COURSE

 a gagné ! Vive !
ROADY   ROADY

Merci pour ton aide !